King Lowry Lynch

Labhraidh Loingseach

GW00994355

Declan Collinge

Illustrated by
Nicola Sedgwick

RED STAG

Published by Mentor Books Ltd
www.mentorbooks.ie

Published in 2018 by:
RED STAG
(a Mentor Books imprint)
Mentor Books Ltd
43 Furze Road
Sandyford Industrial Estate
Dublin 18
Republic of Ireland

Tel: +353 1 295 2112 / 3
Fax: +353 1 295 2114
Email: admin@mentorbooks.ie
Website: www.mentorbooks.ie

A CIP catalogue record for this title is available from the British Library.

ISBN 978-1-912514-12-0

Edited by: Nicola Sedgwick

Visit our website: www.redstag.ie
                     www.mentorbooks.ie

Fadó in Éirinn bhí rí cáiliúil ann. Labhraidh Loingseach b'ainm dó. Bhí rud aisteach gránna ag baint leis an rí seo – bhí dhá chluais fhada, bhioracha, ghruagacha, ar nós capaill, ar an rí ó rugadh é. Chlúdaigh a mháthair a cheann, mar sin, an t-am go léir nuair a bhí sé ag fás aníos.

Nuair a d'fhás sé suas ina rí bhí gruaig fhada air chun a chluasa a cheilt, agus chaith sé húda i gcónaí. Bhí eagla air nach mbeadh meas air i measc a dhaoine, nó nach mbeidís umhal dó, dá bhfeicfidís na cluasa.

Lig sé do bhearbóir teacht chun an pháláis chun a chuid gruaige a bhearradh, gach bliain. Nuair a bhearr an chéad bhearbóir a chuid gruaige chonaic sé na cluasa capaill ach lig sé air nach bhfaca agus ní dúirt sé tada. Thuig an rí, áfach, ón bpreab a baineadh as, go bhfaca sé a chluasa capaill.

Long ago in Ireland there lived a famous king. He was called Lowry Lynch. This king was born with a very strange and ugly feature – he had long, hairy and pointy ears, just like a horse. His mother kept his head covered at all times as he was growing up.

When he grew up and became king he wore his hair very long to cover his ears, and he always wore a hood. He feared that if this were known, his people would not respect him or obey him.

Every year the king had a barber come to the palace to cut his hair. The first barber to cut the king's hair pretended not to see his horse's ears and said nothing. However, the king knew by the look of shock on the barber's face that he had seen his horse's ears.

'A ghardaí, tóg an fear seo amach agus cuir chun báis é,' a d'ordaigh an rí.

D'impigh an bearbóir ar an rí gan é a mharú ach bhí croí an rí chomh crua le cloch. Chuir na saighdiúirí chun báis an fear bocht.

Scaip an scéal ar ar tharla ar fuaid na hÉireann. Bhí sceon ar na bearbóirí go léir ach níorbh fhéidir leo diúltú don rí. Gach uile bhliain chuir siad ar crainn é féachaint cé a bhearrfadh gruaig an rí. Bliain i ndiaidh bliana, cuireadh bearbóir eile chun báis.

Ansin, bliain amháin, roghnaíodh bearbóir óg. Aon mhac le baintreach ba ea an fear óg seo.

'Guards, take this man out and put him to death,' ordered the king.

The barber begged the king to spare him but the king's heart was as hard as a stone. The soldiers put the poor man to death.

Word spread throughout Ireland about what had happened. All of the barbers were terrified but they could not refuse to obey their king. Each year they drew straws to see who would cut the king's hair. Year after year another barber was put to death.

Then one year a young barber was chosen to cut the king's hair. This young man was the only son of a poor widow.

Bhearr an bearbóir óg gruaig an rí agus chonaic sé an dá chluais chapaill air.

'A ghardaí,' arsa an rí, nuair a bhí an gnó críochnaithe ag an mbearbóir, 'tóg an fear seo amach agus cuir chun báis é.'

An mhaidin sin bhí máthair an fhir óig ag fanacht taobh amuigh den phálás dá mac. Chonaic sí na saighdiúirí á thógáil leo agus bhí sí go croíbhriste. Thit sí ar a glúine os comhair an rí agus d'impigh air a bheo a ligean lena mac.

'A Mhórgacht, ná maraigh mo mhac. Níl agam ach mac amháin agus is baintreach bhocht mé.'

Ghoil sí deora goirte agus chuir sí trua ar an rí.

'Maith go leor,' arsa an rí, 'ligfidh mé a bheo leis.'

The young barber cut the king's hair and saw the king's horse's ears.

'Guards,' said the king when the barber was finished, 'take this man out and put him to death.'

That morning the young man's mother was waiting outside the palace for her son. She saw the soldiers taking him away and she was very upset. She threw herself down on her knees before the king and begged him to spare her son.

'Your Majesty, please don't kill my son. He is my only child and I am a poor widow.'

She shed bitter tears and the king was moved to pity.

'Very well,' said the king, 'I will spare him.'

Labhair an rí leis an bhfear óg.

'Geall dom nach ninseoidh tú do dhuine ar bith a bhfaca tú.'

Mhóidigh an fear óg nach ninseodh sé do dhuine ar bith mar gheall ar chluasa an rí. Lig an Rí Labhraidh saor é agus ghabh a mháthair buíochas ó chroí leis an rí. D'imigh siad beirt abhaile agus iad an-sásta gur ligeadh a bheo leis an bhfear óg.

An oíche sin, áfach, bhí an fear óg gan chodladh. Ghoill rún chluasa an rí go mór air. Faoi dheireadh, thit a chodladh air ach taibhríodh dó fós cluasa capaill an rí. Nuair a dhúisigh sé dúirt sé leis féin go raibh an t-ádh leis go raibh sé beo agus rinne iarracht dearmad glan a dhéanamh ar an scéal.

The king spoke to the young man.

'Promise me that you will not tell a living soul about all that you have seen.'

The young man swore that he would not tell anyone about the king's ears. King Lowry let him go and his mother thanked the king sincerely. They both went home happy that the young man's life had been spared.

However, that night the young man could not sleep. The secret of the king's ears troubled him. At last he  fell asleep but in his dreams he still saw the king's horse's ears. When he woke up he told himself that he was lucky to be alive and tried to forget all about it.

Le himeacht aimsire ghoill an rún ar intinn an fhir óig. Ní raibh ar a intinn ach cluasa capaill an rí. Chuimhnigh sé, áfach, gur mhóidigh sé gan focal a rá le duine ar bith agus, faoi dheireadh, tháinig tinneas air de bharr an scéal a choinneáil faoi rún. D'éirigh sé chomh lag sin go raibh air fanacht sa leaba. Bhí an-imní ar a mháthair.

'A mhic, tuigim go bhfuil tú buartha,' ar sise. 'Cén fáth nach féidir leat a insint dom céard atá cearr? Ní ligeann mo chroí dom tú a fheiceáil mar seo.'

D'fhreagair an fear óg: 'A mháthair, mhóidigh mé gan rún a scaoileadh le duine ar bith agus caithfidh mé cur le m'fhocal.

Time passed and the secret weighed heavily on the young man's mind. He could think of nothing but the king's horse's ears. He remembered, however, that he had sworn not to tell a soul, and eventually the keeping of this secret made him ill. He became so weak he had to stay in bed. His mother was very worried.

'Son, I know you are troubled,' she said. 'Why can you not tell me what is wrong? I cannot bear to see you like this.'

The young man replied: 'Mother, I have sworn never to tell a secret and I must be true to my word.'

Chuir máthair an fhir óig fios ar an dochtúir, mar sin, chun a mac a scrúdú.

'Ní fhaighimse tada ar do mhac. Go deimhin tá a intinn buartha, mar sin féin,' arsa an dochtúir.

Ansin d'iarr máthair an fhir óig ar shean-draoi críonna feáchaint an bhféadfadh sé cabhrú lena mac. Chaith an draoi tamall leis an bhfear óg agus labhair ina dhiaidh sin lena mháthair:

'Tá do mhac thíos leis de bharr rúin nach féidir leis a scaoileadh. Gheobhaidh sé bás murar féidir leis é a scaoileadh. Ba chóir dó dul go dtí an crosbhóthar gar dá áit chónaithe agus teacht ar an ngiúis atá ar an taobh thall den droichead. Is féidir leis an rún a scaoileadh leis an gcrann ansin agus bí cinnte de go dtiocfaidh biseach air ina dhiaidh sin.'

So the young man's mother called a doctor to examine her son.

'I cannot find anything wrong with your son. His mind is surely troubled, however,' said the doctor.

Then the young man's mother asked a wise old druid if he could help her son. The druid spent some time with the young man and afterwards spoke to the mother.

'Your son is suffering because of a secret that he cannot reveal. He will die if he cannot reveal it. My advice is for him to go to the crossroads near where he lives and then find the spruce tree which lies beyond the bridge. There he can tell his secret to the tree and he will surely get better afterwards.'

Bhí an fear óg an-lag go deo. Is ar éigean a bhí sé ábalta éirí amach as an leaba. Bhí ar a mháthair glaoch ar bheirt chara leis chun é a chur ina sheasamh. Nuair a bhí sé ar a bhoinn d'éirigh leis siúl beagáinín.

'Tá sé ró-lag chun siúl thar an droichead,' arsa a mháthair. 'Seans go dtógfadh sibhse ann é sa chairt chapaill.'

Bhí a chairde sásta é sin a dhéanamh. Thóg siad an fear óg go dtí an droichead agus d'ardaigh as an gcairt é. Ghabh sé buíochas leo agus rinne a bhealach go mall chuig an ngiúis. Sheas sé ansin ag fanacht.

The young man was so weak that he could hardly get out of his bed. His mother had to get two young men, who were friends of his, to lift him up. Once on his feet he managed to walk a little.

'He is too weak to walk beyond the bridge,' said his mother. 'Perhaps you could take him there in your horse and cart.'

His friends agreed. They took the young man to the bridge and helped him out of the cart. He thanked them and then slowly made his way to the spruce tree. There he stood and waited.

D'fhéach sé mórthimpeall chun deimhin a dhéanamh de go raibh sé leis féin. Ní fhaca sé ach na h-éin ag eitilt anseo is ansiúd i gcraobhacha na giúise os a chionn; níor chuala sé ach fuaim na gaoithe. Nuair a bhí sé cinnte go raibh sé ina aonar sheas sé faoi bhun na giúise. Tharraing sé anáil agus bhéic amach: 'Dhá chluais chapaill ar Labhraidh Loingseach, Rí. Dhá chluais chapaill ar Labhraidh Loingeach, Rí.'

Dúirt sé na focail arís agus arís eile. Ansin thit sé ar a dhá ghlúin agus é traochta. Ba mhór an faoiseamh intinne an t-ualach sin a chur de.

He looked around him to make sure he was alone. All he saw were the birds flitting about in the branches of the spruce

tree; all he heard was the sighing of the wind. When he was sure that he was alone he stood below the spruce tree. Taking a deep breath he shouted out: 'Lowry the king has horse's ears. Lowry the king has horse's ears.'

He repeated the words over and over again. Then he fell to his knees, exhausted. To his relief, he felt a load was lifted off his mind.

Thosaigh sé ag siúl ar ais chun an droichid, go mall ar dtús, ach níos tapúla agus níos láidre, de réir a chéile. Den chéad uair leis na cianta, thug sé faoi deara an ghrian ag taitneamh sa spéir agus an ghaoth bhog ar a leicne.

Ghlaoigh duine dá chairde amach leis ón gcairt 'An dtógfaimid ar ais tú? An bhfuil cabhair uait?'

Bhí lúcháir ar an bhfear óg nuair a dúirt leis, 'Ná déan, go raibh maith agaibh. Tá mé i bhfad níos láidre anois. Táim ag ceapadh go ndéanfaidh mé mo bhealach féin ar ais.'

D'imigh a chairde leo agus d'fhág ag déanamh a bhealaigh féin abhaile é. Bhí sé ag tnúth le hinsint dá mháthair go raibh sé ag mothú i bhfad níos fearr ann féin.

He began to walk back towards the bridge, slowly at first but gradually quicker and stronger. For the first time in ages he noticed the sun shining in the sky and the soft breeze on his cheeks.

One of his friends called out to him from the cart, 'Can we bring you back? Do you need us to help you?'

The young man was delighted to reply, 'No thank you. I'm much stronger. I think I'll walk back home myself.'

His friends headed off and left him to make his own way home. He could not wait to tell his mother how much better he felt.

Chuir a mháthair fáilte mhór roimhe nuair a tháinig sé abhaile. Ba léir di go raibh sé i bhfad níos sona. D'inis sé di go ndearna sé comhairle an draoi agus gur mhothaigh sé i bhfad níos fearr cheana féin. Bhí lúcháir uirthi.

Ón lá sin amach d'éirigh an fear óg níos láidre agus chuaigh scéal chluasa an rí i ndearmad. Bhuail sé lena chairde agus bhídís ag iomáint nuair a bhí an dea-aimsir ann. Laistigh de chúpla mí bhí sé i mbarr a shláinte arís.

Ba mhinic a shiúil sé thar an droichead agus sheas in aice na giúise. Uaireanta ba dhóigh leis gur chuala sé guth á rá os íseal, 'Dhá chluais chapaill ar Labhraidh Loingseach, Rí. Dhá chluais chapaill ar Labhraidh Loinseach, Rí.'

His mother greeted him warmly when he arrived home. She could see that he was so much happier. He told her that he had done what the druid had suggested and felt much improved already. She was delighted for him.

From that day on the young man grew stronger and the memory of the king's ears faded. He met his friends and they played hurling when the weather was fine. Within a few months his health was completely restored.

He often walked beyond the bridge and stood by the spruce tree. Sometimes he imagined that he heard a voice saying softly, 'Lowry the king has horse's ears. Lowry the king has horse's ears.'

Bhí Rí Labhraidh ag éirí sean faoin am seo. Ó bhí gruaig fhada fós air, chun a chluasa a cheilt, lean sé air ag cur na mbearbóirí a bhearr í, chun báis. Fuair mórán bearbóirí bás. Bhí a fhios ag an rí go raibh an-olc á dhéanamh aige, ach fós, níor fhéad sé an rún a scaoileadh.

Bhí sé cinnte go gcaillfeadh sé a chumhacht mar rí dá bhfaigheadh a mhuintir eolas i dtaobh a gcluas.

Uaireanta, nuair a bhíodh sé buartha, d'iarradh sé ar a chláirseoir ceol mín a sheinm dó. Chuidigh seo leis faoiseamh a fháil agus dearmad a dhéanamh ar a raibh déanta aige.

King Lowry was now growing older. Since he still wore his hair long to hide his ears, he continued to put the barbers who cut his hair to death. Many barbers had died and the king knew that what he was doing was very wrong.

However, he still could not allow his secret to get out. He was sure he would lose his power as king if his subjects knew about his ears.

Sometimes, when he was troubled, he would ask his harpist to play soothing music. This helped him to relax and forget what he had done.

Bhí cláirseoir an rí míshásta mar bhí caol na cláirsí scoilte agus bhí an fhuaim an-dona. Thug an rí an méid seo faoi deara agus dúirt, 'A chláirseoir, níl an ceol ró-bhinn. Nach bhfuil tú ag seinm i gceart?'

D'fhreagair an cláirseoir, 'A Mhórgacht, tá an chláirseach sean agus tá an caol scoilte. Sin é an fáth nach bhfuil fuaim an cheoil i gceart.'

'Cén fáth nach bfaigheann tú ceann nua, mar sin?' arsa an rí. 'Seo duit dhá bhonn óir.'

D'fhág an cláirseoir an pálás agus thug cuairt ar chara leis a rinne uirlisí ceoil.

Dúirt sé leis, 'Tá an rí míshásta le mo chuid ceoil agus d'iarr sé orm cláirseach nua a fháil. An bhfuil seans ar bith go bhféadfása caoi a chur ar an seancheann?'

'Taispeáin dom do chláirseach,' arsa a chara.

The king's harpist was unhappy because the neck of his harp was cracked and the sound from it was quite poor. The king noticed this and said, 'Harpist, your music does not sound right. Are you not playing properly?'

The harpist replied, 'Your Majesty, the harp is old and the neck is cracked. This is why the music does not sound right.'

'Why don't you get a new harp then?' said the king. 'Here are two gold coins.'

The harpist left the palace and called on a friend of his who made musical instruments.

He said to him, 'The king is unhappy with my music and told me to get a new harp. Any chance you could just fix my old one?

'Show me your harp,' said his friend.

Scrúdaigh sé go cúramach í agus dúirt:

'A chara, go deimhin tá cláirseach nua
ag teastáil uait agus ba bhreá liom ceann a
dhéanamh duit. Idir an dá linn deiseoidh mé
an scoilt i gcaol na seanchláirsí seo.'

Bhí an cláirseoir sásta leis sin. Lean an
déantóir cláirseacha air:

'Déantar na cláirseacha is fearr as adhmad
na giúise. Beidh orm crann feiliúnach a
aimsiú.'

Chuimhnigh an cláirseoir go bhfaca sé giúis
ar an taobh thall den droichead.

'Is eol domsa an ghiúis chéanna. Tá sí
an-ard agus tá sí ag fás taobh thiar den
droichead.'

Dúirt a chara leis go núsáidfeadh sé
adhmad an chrainn sin chun cláirseach nua a
dhéanamh.

He examined it carefully and said, 'Sorry, friend, you really do need a new harp, and I would be pleased to make one for you. To keep you going in the meantime I will fix the crack in the neck of this old one.'

The harpist was pleased and agreed. The harp-maker continued:

'The best harps are made from the wood of the spruce tree. I will need to find a suitable tree.'

The harpist recalled that he had seen a spruce tree beyond the bridge.

'I know the very spruce tree. It is very tall and it lies beyond the bridge.'

His friend said that he would use wood from that tree to make the new harp.

Lean an cláirseoir air ag seinm don rí ach, cé go raibh an fhuaim níos fearr ó deisíodh an chláirseach, ní raibh an rí sásta leis fós.

'Nach ndúirt me leat cláirseach nua a fháil,' ar seisean.

'Dúirt, a Mhórgacht,' a d'fhreagair an cláirseoir. 'Tá cara liom ag obair ar cheann nua. Ba chóir go mbeadh sé agam go luath amach anseo.'

Bhí an rí sásta leis sin. Thug sé cuireadh don chláirseoir teacht go dtí féasta mór sa phálás. Níos déanaí, thug an cláirseoir cuairt ar a chara, féachaint cén chaoi a raibh ag éirí leis an gcláirseach nua.

'Tháinig mé ar an ngiúis ar labhair tú fúithi. Ghearr mé roinnt de na craobhacha is mó di agus, nuair a bhí mé ag gearradh, thabharfainn an leabhar gur chuala mé guth ag cogarnach.'

The harpist continued to play for the king and, although the sound was better since the harp had been repaired, the king was still unhappy with it.

'Didn't I tell you to get a new harp?' he said.

'Yes, your Majesty,' replied the harpist. 'A friend of mine is working on a new one. I should have it shortly.'

The king was happy about this. He invited the harpist to come and play his new harp at a great feast in the palace.

Later, the harpist visited his friend to see how his new harp was coming along.

'I found the spruce tree you told me about,' his friend said. 'I cut off some of the heavier branches and, while I was doing that, I could swear I heard a voice whispering.'

Cheap an cláirseoir go raibh an méid seo aisteach ach ba chuimhin leis ansin gur chuala sé daoine á rá cheana féin go raibh rud aisteach ag baint leis an ngiúis sin. Dúirt roinnt daoine go bhfaca siad sióga ag rince faoi bhun an chrainn, oíche ghealaí agus chuala daoine eile guthanna aisteacha agus iad ag gabháil thar bráid.

'Is aisteach sin,' arsa an cláirseoir, 'ach cén chaoi ar éirigh leat agus tú ag déanamh na cláirsí nua?'

'Bhuel, sílim go ndearna mé jab maith, ach nuair a bhí mé ag déanamh fráma na cláirsí mhothaigh mé go raibh duine ag faire orm,' arsa a chara. 'Tar liom anois go bhfeice tú mo shaothar.'

The harpist thought this was strange but then he remembered he had already heard people saying that there was something unusual about that spruce tree. Some people said they had seen fairies dancing below the tree one moonlit night and others had heard strange voices as they passed by the tree.

'That's odd,' said the harpist,' but how did you get on making the new harp?'

'Oh I did a good job, but even as I was making the frame of the harp, I felt as though there was someone watching me,' said his friend. 'Come with me now and have a look at my work.'

Thaispeáin a chara an chláirseach dó.

'Bhí adhmad na giúise ar fheabhas agus chuir mé snas air. Mairfidh an chláirseach seo tamall fada má thugann tú aire dó. Tabhair faoi deara go bhfuil na téada is fearr curtha agam ar an ngléas agus gur mhaisigh mé an t-adhmad. Tá an gléas i dtiúin agam freisin agus é ullamh anois duit.'

Ghabh an cláirseoir buíochas lena chara agus d'íoc leis an dá bhonn óir a thug an rí dó. Bhí sé ag tnúth lena chláirseach bhreá nua a a sheinm don rí agus dá aíonna ag an bhféasta sa phálás.

His friend showed him the harp.

'The spruce wood was excellent and I have varnished it fully. This instrument will last a long time if you look after it well. Notice that I have put the very best strings on it and have decorated the sound board. I have also tuned it so it is now ready for you.'

The harpist thanked his friend and paid him the two gold coins that the king had given him. He couldn't wait to play his fine new harp for the king and his guests at the palace feast.

Lowry the king has horse's ears
Lowry the king has horse's ears

Faoi dheireadh tháinig lá na fleá. Bhí cuireadh tugtha ag an rí do na h-uaisle go léir idir fhir is mhná, tiarnaí agus bantiarnaí, flatha agus banphrionsaí, teacht chun na fleá. Bhí sé sásta a fheiceáil go raibh a chláirseoir tar éis an chláirseach bhréa nua a shocrú sa halla bia mór.

Labhair an rí leis an gcláirseoir: 'Fad a shuíonn na h-aíonna síos caithfidh tú port bríomhar a sheinm,' ar seisean. 'Tá mé ag iarraidh dul i gcion orthusan go léir.'

Bhí an cláirseoir sásta freisin.

'Déanfaidh mé mo dhícheall, a Mhórgacht. Tá mé cinnte go mbeidh ceol binn as mo chláirseach úrnua nuair a leagaim mo mhéara ar na téada. Tabhair nod dom agus seinnfidh mé.'

At last the day of the feast arrived. The king had invited princes and princesses, lords and ladies, and noblemen and noblewomen. He was happy to see that his harpist had set up his fine new harp in the great dining hall.

The king spoke to the harpist. 'As the guests sit down you must play a lively tune,' he said. 'I want to make a great impression on them all.'

The harpist was also pleased.

'I will do my best, your Majesty. I'm sure my new harp will sound very sweet when I touch the strings. Please give me the signal and I shall begin playing.'

Tháinig an oíche agus thosaigh na h-aíonna ag teacht isteach i bpálás an rí. Nach iad a mhol an halla bia maorga ar lasadh le coinnle áille.

Nuair a shuigh an t-aoi deireanach chun boird thug an rí nod don chláirseoir. Leag sé a mhéara ar na téada agus thosaigh ag seinm foinn mheidhrigh. Ach go tobann thug sé faoi deara rud aisteach – bhí na téada ag déanamh ceoil fiú nuair nach raibh a mhéara orthu!

Stad an ceol go tobann ansin agus tháinig guth aisteach géar ón gcláirseach. Bhí uafás ar na daoine nuair a thosaigh an guth ag béicíl arís agus arís eile: 'Dhá chluais chapaill ar Labhraidh Loingseach, Rí. Dhá chluais chapaill ar Labhraidh Loingseach, Rí.'

Evening came and the guests began to make their entrance into the king's palace. They expressed great admiration when they saw the imposing dining hall, which was brightly lit with many beautiful candles.

When the last guest had sat down at the table the king signalled to his harpist. His fingers touched the strings and he began to play a lively air. However, he soon noticed something very strange - the strings were making music even when he took his fingers off them!

Then suddenly the strings stopped making any sound at all and a strange high-pitched voice came from the harp. The guests looked on in horror as the voice began to cry over and over again: 'Lowry the king has horse's ears. Lowry the king has horse's ears.'

Tháinig dath an bháis ar an rí.

Ansin d'éirigh sé ina sheasamh agus scread sé: 'Is fíor é! Is fíor é! Rinne mé iarracht é a cheilt ar feadh na mblianta. Rinne mé olc. Chuir mé gach uile bhearbóir chun báis gan trua gan taise. Seo é píonós Dé. Ná tóg orm é. Bhí eagla orm. Cheap mé go gcaillfinn an smacht, an meas, fiú an choróin féin ach is eol daoibh go léir anois mo rún damanta. Féach, seo iad mo dhá chluais chapaill scanrúla. Féach mo mháchail.'

Tharraing an rí a chuid gruaige siar agus nocht a chluasa don saol. Bhí uafás ar na daoine agus bhí ciúnas sa halla bia.

Bhí an guth géar ón gcláirseach ina thost freisin.

The king's face turned deathly pale.

Then he stood up and screamed: 'It's true! It's true! I tried to hide it for years. I did an evil thing. I put every barber to death without mercy. This is God's punishment. Please forgive me. I was afraid I would lose power, respect, even the throne, but now you all know my horrible secret. Look, here are my terrible horse's ears. Look at my disfigurement.'

The king pulled back his hair so that his horse's ears could be seen by all. The guests looked on in horror and there was silence in the dining hall.

The high-pitched voice from the harp also fell silent.

D'fhág na daoine an halla bia, duine i
ndiaidh an duine eile. Faoi dheireadh ní raibh
fágtha sa halla ach cláirseoir an rí. Labhair sé
os íseal leis an rí.

'Ní haon cúis náire máchail ar bith, a
Mhórgacht, ach is mó an chúis náire í a
cheilt. Ní thabharfaidh do mhuintir breith
ort ó rialaigh tú go cothram. Molaim duit
bearradh gruaige a fháil amárach go bhfeice
an saol mór do chluasa as seo amach.'

Bhí na deora leis an rí. 'Sin comhairle
mo leasa,' ar seisean. 'Déanfaidh mé mar a
mholann tú dom.'

Chuir Rí Labhraidh lena fhocal agus bhearr
sé a chuid gruaige lá arna mhárach chun a
thaispeáint nach raibh rud ar bith le ceilt aige
a thuilleadh. Bhí an-aiféala air as a ndearna
sé agus bhí sé i gcoróin go lá a bháis.

One by one the guests left until at last only the king's harpist was left. He spoke softly to the king.

'There is no shame in any disfigurement, your Majesty. It is more shameful to conceal it. Your people will not judge you since you have ruled over them fairly. I advise you to have your hair cut tomorrow and let the whole world see your ears from here on.'

The king eyes filled with tears.

'That is good advice,' he said. 'I will do as you suggest.'

King Lowry was as good as his word, and cut his hair the very next day to show he had nothing to hide any more. He was very sorry for all that he had done and remained on the throne till his dying day.

Other books in the
FADÓ IRISH LEGEND SERIES